le tracteur

l'oie

les pis

le veau

le cheval

le dindon

la moissonneuse-batteuse

les poussins

le cochon

les lapins

Un personnage de Thierry Courtin
Couleurs : Françoise Ficheux

Loi n° 49-956 du 16 juillet 1949
sur les publications destinées à la jeunesse.
© Éditions Nathan/VUEF, 2003.
© Éditions Nathan, 2012 pour la présente édition.
25 avenue Pierre de Coubertin
75013 Paris, France
ISBN : 978-2-09-253721-3
N° d'éditeur : 10193080
Dépôt légal : janvier 2013
Imprimé en Italie

T'choupi
à la ferme

Illustrations
de Thierry Courtin

Aujourd'hui, c'est mercredi.

Avec le centre de loisirs,  , Lalou

T'choupi

et Pilou visitent une ferme. Ils ont

emmené ![Doudou] .

Doudou

D'abord, ils vont voir les animaux

dans l'étable. Oh, voici une
vache

et son petit  !
veau

Les de la vache sont très gros.
pis

Matin et soir, l'agriculteur la trait

pour avoir du bon lait.

Ron ron, voilà le .

cochon

Sur son dos, il a des poils très durs.

Qui va le caresser ?

T'choupi veut bien essayer !

Hiiiii ! Le  hennit. Lalou lui donne

cheval

à manger en mettant sa main bien à plat.

Quand le cheval attrape la ,

pomme

ça fait comme un bisou mouillé.

Dans le hangar, il y a un
tracteur

et sa remorque.

Pilou s'est installé au volant.

– Regardez comme je conduis bien !

Puis tout le monde se dirige

vers les champs. Ici pousse du
maïs

qui nourrira les animaux en hiver.

Avec un , Lalou s'est fait une poupée !
épi

Et là, il y a du . Une énorme

blé

 coupe les épis dorés.

moissonneuse-batteuse

Les grains donneront de la farine

pour faire du pain. T'choupi aime bien

les mâchouiller.

C'est l'heure du goûter. Miam,

un clafoutis aux

cerises

et du jus de bien frais !

pommes

Pilou a déjà tout mangé !

Maintenant, T'choupi veut voir

le poulailler. Il jette du grain au ,

coq

aux  et à leurs .

poules   poussins

Il y a aussi des  , un

oies   dindon

et des petits lapins tout doux

lapins

dans leurs clapiers.

Ils tendent le cou pour attraper

l'herbe que Pilou leur donne à manger.

Oh non ! Il faut déjà s'en aller.

Mais où est T'choupi ?

Il s'est caché dans la
paille

avec un petit tout gris !
chat

Retrouve sur ce dessin tout ce que T'choupi a vu...

une vache
un veau
un cheval
un coq
une poule
des poussins
une oie
un dindon
des lapins
un chat

Et dans la même collection ...